Moustache
ne se laisse pas faire

Texte de Armelle Renoult
Illustrations de Mélanie Grandgirard

AUZOU

Médor, le chien du voisin, agace vraiment Moustache.
Aussitôt qu'il le voit, il le poursuit en aboyant très fort.
Grrh ! Les poils du chaton se dressent sur son dos !
Alors pour ne plus avoir peur, Moustache se cache.

« Mais on va voir ce qu'on va voir ! » dit Moustache.
L'heure de la revanche a sonné.
C'est décidé, il faut faire peur à ce grand dadais !

Moustache a une idée : lui, le petit chaton, il va se déguiser en lion.
Il est grand temps que Moustache se fâche !

« D'abord, il me faut un peu de colle.
Ce bocal de confiture de myrtilles sera parfait. »
Oups ! Moustache renverse le pot et fait une grosse tache
collante sur la table.

Ensuite, il faut se rouler dans la paille...
« Aïe ça pique un peu ! »
s'exclame Moustache tout heureux.

Et voilà une belle crinière de lion !
À présent au tour de la queue :
encore un peu de paille pour le toupet final.

Trop tentant de courir après ! Délicieux à léchouiller...
ATCHOUM ! Attention, il ne faut pas attraper le rhume des foins !

Maintenant Moustache se sent un vrai lion.
Il rugit.

MOUAR

« C'est moi Moustache,
le roi des animaux ! »

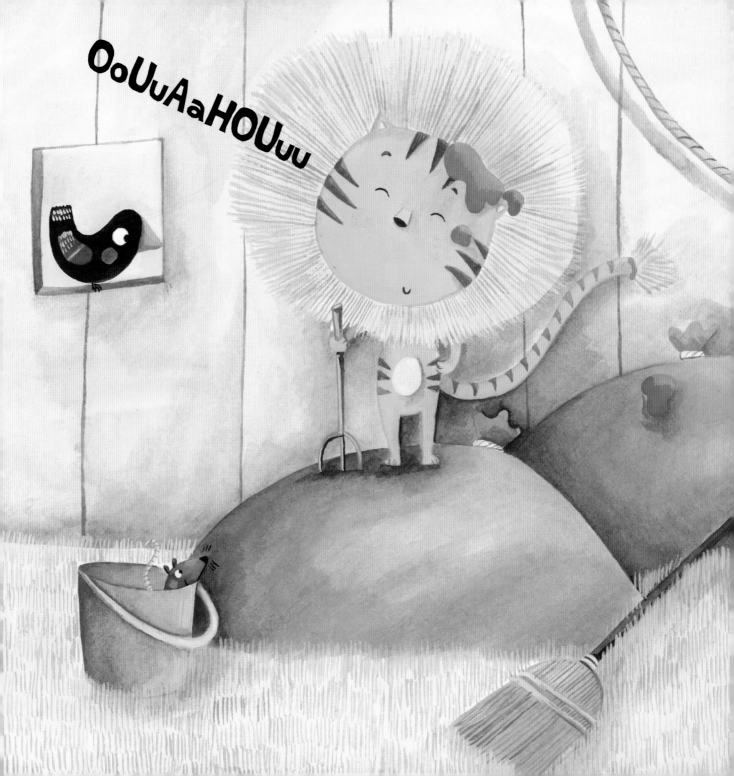

Moustache allonge ses griffes, ondule sa queue et se pavane
devant la niche. C'est sûr, il va impressionner son ennemi !

Soudain, une ombre blanche attire son attention.
« Oh ! un petit papillon ! » s'amuse Moustache.

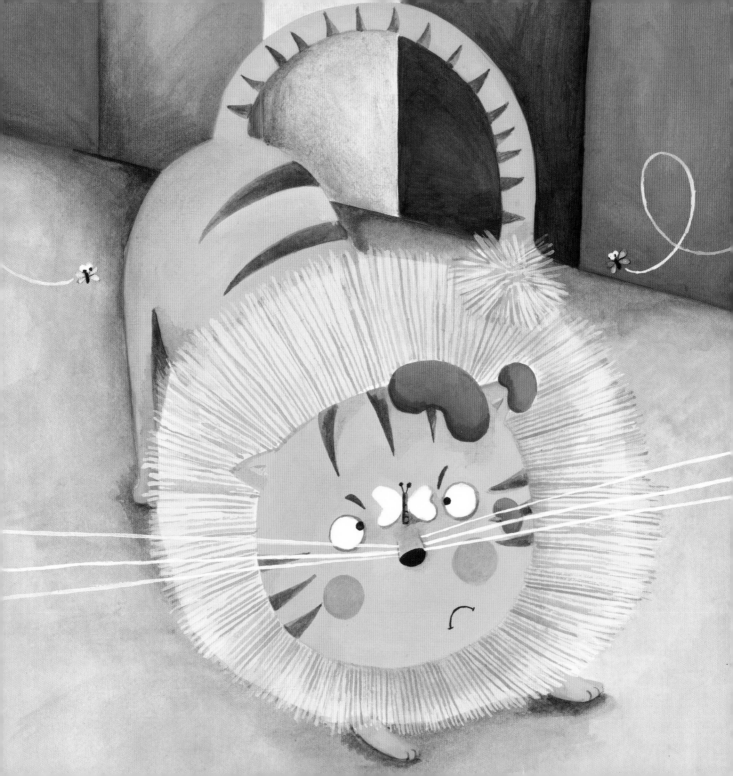

Il se recroqueville, les moustaches en avant, contracte ses muscles, prêt à bondir !

Il s'élance mais la paille s'accroche dans ses pattes avant.
Il tombe la tête la première dans l'herbe parfumée.
Quand il relève le nez, le papillon s'est envolé !

« Ha ! Ha ! Que tu es drôle, Moustache ! rigole Médor.

Ton déguisement d'épouvantail est au poil !
Tu veux bien que je joue avec toi ? »

Médor s'approche de Moustache
et lui donne un coup de langue amical.

« Miam tu as bon goût ! C'est de la confiture de myrtilles, je parie.

C'est super, tu vas attirer les mouches !
On joue à qui en attrape le plus ? » demande Médor.

MÉDOR

MOUSTACHE

Moustache n'est plus fâché.
Tant pis si son déguisement n'est pas très réussi.
Il est heureux d'avoir trouvé un ami !

Direction générale : Gauthier Auzou
Édition : Florence Pierron
Maquette : Annaïs Tassone
Relecture : Gwenaëlle Hamon, Fanny Letournel
Fabrication : Florent Verlet et Jean-Christophe Collett

Dépôt légal : 2e trimestre 2009
ISBN : 978-2-7338-1069-9
Photograveur : Turquoise
Imprimé en Chine.

www.auzou.com

Mes p'tits albums

Catherine Pattenotte-Blançou
Renard
et les trois œufs

Armelle Renoult - Mélanie Grandgirard
Moustache
ne se laisse pas faire

Élisabeth de Lambilly
Jérôme Peyrat
Octave
ne veut pas grandir

Roucoule
est amoureuse
Karine Laurent-Stéphanie Alastra

Petite taupe
ouvre-moi ta porte !

Zafo
le petit pirate !

Virginie Hanna
Michel Boucher

Le loup
qui voulait changer
de couleur
Orianne Lallemand
Éléonore Thuillier

La chauve-souris
et l'étoile
Alice Brière-Haquet
Delphine Brantus

Armelle Renoult - Claire Frossard
Croquette
devient grand frère

Élodie Richard - Iris
Armande
la vache qui n'aimait pas ses taches !

Virginie Hanna - Christel Desmoinaux
Rosetta
n'est pas cracra !

Berlingot
est un superhéros

Le loup
qui s'aimait
beaucoup trop
Orianne Lallemand
Éléonore Thuillier

**La petite
souris**
et la dent
Virginie Hanna - Delphine Vaufrey